LA BIBLIA DE LOS SMOOTHIES

+100 batidos esenciales para estar saludable

Laurenzia López, Fernanda Ramirez

Reservados todos los derechos.

Descargo de responsabilidad

Sommario

Las recetas de batidos súper saludables

50 batidos esenciales para estar saludable

Fernanda Ramirez

Reservados todos los derechos.

Descargo de responsabilidad

La información contenida i está destinada a servir como una colección completa de
estrategias sobre las que el autor de este libro electrónico ha investigado. Los resúmenes,
estrategias, consejos y trucos son solo recomendaciones del autor, y la lectura de este
libro electrónico no garantiza que los resultados de uno reflejen exactamente los
resultados del autor. El autor del eBook ha realizado todos los esfuerzos razonables para
proporcionar información actualizada y precisa a los lectores del eBook. El autor y sus
asociados no serán responsables de ningún error u omisión no intencional que se pueda
encontrar. El material del eBook puede incluir información de terceros. Los materiales de
terceros forman parte de las opiniones expresadas por sus propietarios. Como tal, el autor
del libro electrónico no asume responsabilidad alguna por el material u opiniones de
terceros.

El libro electrónico tiene copyright © 2021 con todos los derechos reservados. Es ilegal
redistribuir, copiar o crear trabajos derivados de este libro electrónico en su totalidad o
en parte. Ninguna parte de este informe puede ser reproducida o retransmitida de forma
reproducida o retransmitida en cualquier forma sin el permiso expreso y firmado por
escrito del autor.

INTRODUCCIÓN

Una receta de batido es una bebida hecha con puré de frutas y / o verduras crudas, usando una licuadora. Un batido a menudo tiene una base líquida como agua, jugo de frutas, productos lácteos, como leche, yogur, helado o requesón.

1.TAHINI DATE Y BATIDO DE CANELA

INGREDIENTES

- ❖ 1 / 2–1 plátano congelado (según el dulzor)
- ❖ 3/4 taza de leche de elección (nos gusta la leche de vainilla y almendras)
- ❖ 1 dátil Medjool, sin hueso
- ❖ 1 cucharada de canela
- ❖ 2 cucharadas de tahini
- ❖ Pizca de sal
- ❖ Opcional: espinaca congelada, linaza, proteína en polvo

INSTRUCCIONES

1. Coloque todos los ingredientes en una licuadora y mezcle a fuego alto hasta que quede suave.

2.TAZÓN DE BATIDO DE PATATAS DULCES [¡SABES A PASTEL DE PATATAS DULCES!]

INGREDIENTES

- ❖ 1 batata pequeña
- ❖ 1/2 taza de calabacín al vapor y luego congelado *
- ❖ 1 plátano pequeño, congelado
- ❖ 1/3 taza de yogur (+ más para cubrir) o use yogur sin lácteos
- ❖ 1/2 taza de leche de vainilla y almendras sin azúcar (más para una consistencia más delgada)
- ❖ 1 cucharadita de especias para pastel de calabaza
- ❖ 1/4 cucharadita de cardamomo
- ❖ jengibre fresco (aproximadamente del tamaño de una uña)

INSTRUCCIONES

1. Para cocinar la batata:
2. corte la batata por la mitad y luego cocine al vapor en una canasta vaporera durante 10 minutos
3. O envuelva en papel de aluminio y colóquelo en un horno a 350 grados durante 1 hora.
4. Consulte las instrucciones anteriores para microondas.
5. Para batido:
6. Coloque todos los ingredientes en una licuadora y mezcle hasta que quede suave.
7. Cubra con yogur adicional y especias de calabaza o aderezos de su elección.

3.TAZÓN DE BATIDO DE COCO CON MENTA MATCHA

INGREDIENTES

- ❖ 1 plátano grande
- ❖ 1 cucharadita de matcha en polvo
- ❖ 1 / 4–1 / 2 taza de leche de coco *
- ❖ 3 hojas de menta fresca
- ❖ 1 puñado de espinacas tiernas
- ❖ 3-4 cubitos de hielo
- ❖ opcional: 1/4 cucharadita de canela
- ❖ coberturas: fruta fresca, yogur (se puede utilizar yogur de coco), granola, etc....

INSTRUCCIONES

1. Agregue todos los ingredientes (excepto los aderezos) a una licuadora de alta velocidad.
2. Licue hasta que esté bien combinado
3. Vierta en un tazón y cubra con los ingredientes.
4. Comer inmediatamente

Cuanto menos use, más espeso será, pero también será más difícil de mezclar. Comience con 1/4 de taza y agregue más si necesita que las cosas se muevan.

4.YOGA GLOW SMOOTHIE + MI NUEVA RUTINA MAÑANA

INGREDIENTES

- ❖ 1 taza de arándanos
- ❖ 1/2 plátano maduro
- ❖ 1/2 aguacate
- ❖ 1-2 tazas de col rizada
- ❖ 1 nuez de jengibre fresco, pelado y picado
- ❖ 1/4 cucharadita de cúrcuma
- ❖ 1 cucharada de cacao crudo
- ❖ 1/2 cucharadita de maca en polvo
- ❖ 1/2 cucharadita de canela
- ❖ pizca de sal marina
- ❖ 1 taza de agua destilada Vapor Simple Truth (yo uso el sabor a mora y arándano)
- ❖ opcional: una cucharada de proteína en polvo.

INSTRUCCIONES

1. Coloque todos los ingredientes en una licuadora y mezcle hasta que quede suave.

5. BATIDO VERDE CHAI ALMENDRA

INGREDIENTES

- ❖ 1 plátano congelado
- ❖ 1 cucharada de proteína de vainilla en polvo de su elección (yo usé Vega Sport Protein)
- ❖ 1/2 cucharadita de jengibre molido
- ❖ 1/4 cucharadita de canela molida
- ❖ 1/4 cucharadita de cardamomo molido
- ❖ 1/8 cucharadita de nuez moscada molida
- ❖ 1 cucharada de mantequilla de almendras suave y natural
- ❖ 2 tazas de espinacas tiernas
- ❖ 1 taza de leche de almendras sin azúcar
- ❖ opcional: 1/2 cucharadita de extracto de vainilla

INSTRUCCIONES

1. Agregue los ingredientes a una licuadora en el orden indicado.
2. Mezclar hasta que esté suave.
3. Sirva con los aderezos de su elección. Me gustan las semillas de cáñamo, canela agregada y mantequilla de almendras.

6.TAZÓN DE SMOOTHIE VERDE BLUEBERRY

INGREDIENTES

- ❖ 1 taza de arándanos congelados
- ❖ 1 cucharada de proteína en polvo vegetal de vainilla (yo usé Vega + Greens)
- ❖ 1/2 plátano grande (fresco o congelado)
- ❖ 1 / 4–1 / 2 taza de leche de almendras (comience con 1/4 taza y agregue más si su licuadora lo necesita)
- ❖ 1/4 de aguacate
- ❖ 2 tazas de verduras (yo uso espinaca, rúcula y col rizada)
- ❖ Algunas sugerencias de aderezos: mantequilla de almendras / maní, granola, semillas de chía, semillas de cáñamo, semillas de calabaza, etc....

INSTRUCCIONES

1. Coloque todos los ingredientes en una licuadora de alta velocidad y mezcle a fuego alto hasta que estén bien combinados. Si prefiere un batido aún más espeso, agregue un par de cubitos de hielo.
2. Cubra con los ingredientes deseados y sirva en un tazón.

7. BATIDO VERDE MOJITO DE PIÑA

INGREDIENTES

- ❖ 1/2 taza de leche de coco (yo usé cartón) u otra leche no láctea
- ❖ 1/4 taza de menta fresca
- ❖ 1 1/2 tazas de piña picada (fresca o congelada)
- ❖ 1-2 tazas de espinacas tiernas
- ❖ 1 lima, ralladura y jugo
- ❖ 1/2 cucharadita de jengibre recién rallado
- ❖ 1 taza de hielo
- ❖ Opcional: Cubra con semillas de chía, coco rallado, semillas de cáñamo, etc....

INSTRUCCIONES

1. Agregue todos los ingredientes a una licuadora de alta potencia hasta que estén bien combinados.
2. Cubra con los ingredientes deseados.

8. BATIDO DE MANGO Y MANTEQUILLA DE ALMENDRAS

INGREDIENTES

- ❖ 1 taza de mango congelado
- ❖ 1/2 plátano congelado, en rodajas
- ❖ 1/2 taza de leche de almendras *
- ❖ 1 cucharada de mantequilla de almendras
- ❖ 1 cucharada de proteína de vainilla en polvo
- ❖ opcional: 2 tazas de espinacas para darle un toque extra de vegetales.

INSTRUCCIONES

1. Une todas las fijaciones en tu licuadora.
2. Beba de inmediato.

* Este batido es espeso, así que si te gusta beber con una pajita en lugar de comer con una cuchara, agrega un toque más de leche de almendras.

TAZÓN DE BATIDO DE PASTEL DE ZANAHORIA

INGREDIENTES

- ❖ 1 taza de lechuga romana picada (no tenía lechuga romana, así que usé espinaca)
- ❖ 1 taza de leche de coco sin azúcar
- ❖ 2 tazas de zanahorias crudas picadas
- ❖ 1 taza de piña picada
- ❖ 1 plátano
- ❖ 2 clementinas, peladas (tampoco las tenía, así que usé mango)
- ❖ 1/2 cucharadita de extracto de vainilla
- ❖ pizca de canela molida y nuez moscada

INSTRUCCIONES

1. Licúa la lechuga romana (o espinaca) y la leche de coco hasta que quede suave.
2. Agregue los ingredientes restantes y mezcle nuevamente hasta que quede suave.
3. ¡Cubra con pistachos y coco tostado!

10.BATIDO DE MANZANA VERDE DE DESINTOXICACIÓN NAVIDEÑA

INGREDIENTES

- ❖ 1 plátano (o la mitad es suficiente si estás mirando el azúcar)
- ❖ 1-2 tazas de col rizada, sin tallos
- ❖ 1 taza de sidra de manzana (sin azúcar agregada, solo la verdadera)
- ❖ 1 taza de agua o hielo
- ❖ extras opcionales: harina de lino, nueces (usé nueces), mantequilla de nueces
- ❖ pizca de canela
- ❖ semillas de granada para cubrir

INSTRUCCIONES

1. Mezcle todas las fijaciones hasta que quede suave. Use agua para obtener una superficie similar a un jugo y hielo para obtener un carácter similar a un batido. Incluya cualquier elemento adicional que necesite para obtener proteínas, fibra o grasas sólidas adicionales.
2. Mezcle una mezcla de canela, cubra con semillas de granada y ¡aprecie!

11.BATIDO DE MIEL Y ARÁNDANOS SILVESTRES

INGREDIENTES

- ❖ 1 plátano, fresco o congelado
- ❖ 1 taza de trozos de mango, frescos o congelados
- ❖ 1/2 taza de arándanos silvestres, frescos o congelados
- ❖ 1/2 taza de yogur griego natural sin grasa
- ❖ 1/2 taza de leche (o lo suficiente para que las cosas se mezclen sin problemas)
- ❖ 1 cucharada colmada de miel cruda (más al gusto)
- ❖ 1/2 taza de col rizada o cualquier otro complemento que desee

INSTRUCCIONES

1. Coloque los plátanos, mangos, arándanos, yogur y leche en una licuadora. Mezclar hasta que esté suave. Agrega la col rizada y la miel; mezcle nuevamente hasta que quede suave.
2. Si lo desea (y especialmente si todos sus ingredientes eran frescos en lugar de congelados), agregue algunos cubitos de hielo para aumentar el volumen del batido y ayudarlo a mantenerse frío. Triturar hasta que quede suave.

12 BATIDO DE BAYAS VERDES

INGREDIENTES

- ❖ 3 plátanos pequeños
- ❖ 1/2 taza de leche
- ❖ 1-2 puñados de espinaca
- ❖ 1 taza de bayas congeladas (arándanos, moras, etc.)
- ❖ 1/2 taza de cereal de salvado como All-Bran original
- ❖ 1-2 cucharadas de edulcorante (azúcar, miel, Trivia, agave, etc.)
- ❖ cubitos de hielo (opcional)

INSTRUCCIONES

1. Mezcle los plátanos y la leche hasta que quede suave. Agregue las espinacas y mezcle a fuego alto hasta que la gran mayoría de las espinacas se haya separado en trozos pequeños. Agregue las bayas congeladas y mezcle hasta que la combinación de batidos sea cada uno de los tonos.
2. Agrega el trigo y el azúcar; mezclar hasta obtener la consistencia deseada. Agregue formas 3D de hielo y mezcle nuevamente hasta que quede suave (discrecional, generalmente no lo hago).
3. Cubra con arándanos adicionales y sirva inmediatamente.

13.BATIDO VERDE DE COCO SIMPLE

INGREDIENTES

- ❖ 1 taza de infusiones antioxidantes Bai5 Molokai Coconut
- ❖ 1 taza colmada de duraznos congelados
- ❖ 1 taza de espinaca
- ❖ 2 cucharadas de harina de lino

INSTRUCCIONES

1. Descongele los duraznos, para que aún estén congelados, pero delicados. Por lo general, los pongo en el microondas durante 30 segundos a un momento, o los olvido en el mostrador durante 15-20 minutos. Esto ayudará a la superficie del batido.
2. Mezcle la cena de coco Bai5 Molokai, duraznos congelados, espinacas y lino durante 2-3 minutos o hasta que quede suave. Prueba y cambia por tu amor. Sirva o refrigere de inmediato.

14. EL MEJOR BATIDO DE SANDÍA DEL MUNDO

INGREDIENTES

- ❖ 2 tazas de sandía en cubos congelada
- ❖ 1 taza de agua
- ❖ 1 cucharada de miel u otros edulcorantes al gusto
- ❖ unas hojas de menta y albahaca, si quieres llevarlo al siguiente nivel

INSTRUCCIONES

1. Licúa la sandía y el agua hasta que quede suave. Agregue la miel y la menta y mezcle durante otros 10-20 segundos hasta obtener una consistencia casi suave y fangosa.
2. ¡Servir inmediatamente!

15.RECETA DE BATIDO DE MANGO

INGREDIENTES

- ❖ 1 ½ tazas de trozos de mango congelados
- ❖ 1 cucharada de semillas de chía (opcional)
- ❖ 1 ½ taza de líquido (agua de coco, leche de almendras, leche de vaca, agua)

INSTRUCCIONES

1. Combine todos los ingredientes en una licuadora y mezcle hasta que quede suave. Si la licuadora se atasca, agregue más líquido hasta que se mezcle nuevamente.

16 BATIDO DE CEREZAS Y MELOCOTÓN GOJI

INGREDIENTES

- ❖ 1 taza de cerezas congeladas
- ❖ ½ taza de rodajas de durazno congeladas
- ❖ 1 ¼ taza de leche de almendras
- ❖ 1 cucharada de bayas de goji
- ❖ Opcional
- ❖ 1 cucharada de semillas de chía
- ❖ 1 cucharadita de lino molido
- ❖ 1-2 puñados de espinaca

INSTRUCCIONES

1. Coloca todo en la base de una licuadora y licúa hasta que quede suave.

17 BATIDO DE MANGO Y FRESA CON ESPECIAS TAILANDESAS

INGREDIENTES

- ❖ ¾ taza de trozos de mango (congelados)
- ❖ ¾ taza de fresas (congeladas)
- ❖ 1 ¼ tazas de leche de almendras (o más según sea necesario para licuar; cámbiela por leche de vaca o su líquido de licuado favorito)
- ❖ ⅛ cucharadita de mezcla de especias chai (ver notas *)
- ❖ ¼ de cucharadita de extracto de vainilla
- ❖ Opcional
- ❖ 1 cucharada de semillas de chía
- ❖ 1 cucharadita de lino molido
- ❖ 1 taza de espinaca

INSTRUCCIONES

1. Coloque todos los ingredientes en una licuadora y mezcle hasta que quede suave.

18 BATIDO DE AGUA DE COCO Y ARÁNDANOS

INGREDIENTES

- ❖ 1 ½ tazas de arándanos congelados
- ❖ 1 taza de agua de coco
- ❖ ½ taza de yogur natural o griego sin grasa
- ❖ ¼ de cucharadita de extracto de coco
- ❖ 1 cucharada de corazones de cáñamo

INSTRUCCIONES

1. Combine todos los ingredientes en la licuadora y mezcle hasta que quede suave.

19 BATIDO DE CÚRCUMA ANTIINFLAMATORIO

INGREDIENTES

- ❖ 1 ¼ tazas de leche de almendras
- ❖ 1 taza de col rizada o espinaca empaquetada
- ❖ ¼ de cucharadita de cúrcuma
- ❖ 1 pizca de pimienta negra
- ❖ 1 cucharada de semillas de chía
- ❖ 1 ½ tazas de trozos de piña congelados

INSTRUCCIONES

1. Combine los primeros 5 ingredientes en una licuadora y mezcle hasta que quede suave.
2. Agrega los trozos de piña y licúa nuevamente hasta que quede completamente suave.

20.BATIDO VERDE KETO

INGREDIENTES

- ❖ 1 taza de agua fría
- ❖ 1 taza de espinacas tiernas
- ❖ 1/2 taza de cilantro
- ❖ Jengibre de 1 pulgada - pelado
- ❖ 3/4 pepino inglés - pelado
- ❖ 1 / 2-1 limón - pelado
- ❖ 1 taza de aguacate congelado

INSTRUCCIONES

1. Agregue todos los ingredientes a una licuadora de alta velocidad y mezcle hasta que quede suave.
2. Almacene en un recipiente hermético, como un frasco de conservas, en el refrigerador hasta por 3 días.

21 BATIDO DE PLÁTANO CON MANTEQUILLA DE MANÍ Y CHOCOLATE

INGREDIENTES

- ❖ 1 plátano congelado
- ❖ 1 taza de leche de coco congelada en la bandeja de cubitos de hielo
- ❖ 3 cucharadas de cacao crudo en polvo
- ❖ 2 cucharadas de semillas de cáñamo
- ❖ 1 cucharada de mantequilla de maní
- ❖ 1 / 2-1 taza de leche de almendras
- ❖ 1 cucharada de sirope de arce (opcional)

INSTRUCCIONES

1. Agrega todos los ingredientes a una licuadora. Comience agregando solo 1/2 taza de leche de almendras y agregue más si su licuadora necesita el líquido adicional o si le gusta su batido más líquido.
2. ¡Servir y disfrutar!

22 BATIDO AZUL

INGREDIENTES

- ❖ 2 plátanos congelados
- ❖ 3 cucharadas de semillas de cáñamo
- ❖ 1 taza de leche de almendras - (o leche de coco o cualquier otra leche de su elección)
- ❖ 1-3 cucharaditas de té en polvo de guisantes de mariposa (dependiendo de qué tan azul quieras tu batido)

INSTRUCCIONES

1. Agregue todos los ingredientes a una licuadora de alta velocidad y luego sirva.

23 BATIDO DE FRUTAS DE DRAGÓN

INGREDIENTES

- ❖ 3/4 taza de leche de coco light
- ❖ 1 fruta del dragón
- ❖ 1 taza de moras

INSTRUCCIONES

1. La noche anterior, ponga la leche de coco en una bandeja para cubitos de hielo y congele hasta que esté sólida.
2. Pele la fruta del dragón con un cuchillo o con la mano (como se muestra en el video).
3. Agregue la fruta del dragón, los cubos de leche de coco congelada y las moras a una licuadora de alta velocidad y mezcle hasta que quede suave.
4. Sirve y disfruta de inmediato.

24 BATIDO DE AGUACATE Y ESPINACAS

INGREDIENTES

- ❖ 1 taza de mango congelado cortado en cubitos
- ❖ 1/2 aguacate
- ❖ 2 manos llenas de espinacas tiernas
- ❖ 2-3 cucharadas de proteína en polvo
- ❖ 1 taza de agua fría

INSTRUCCIONES

1. Agrega todos los ingredientes a tu licuadora. Mezclar hasta que esté suave. Disfrútelo de inmediato.

25 BATIDO DE PLÁTANO

INGREDIENTES

- ❖ 1/2 taza de cubitos de hielo
- ❖ Plátanos grandes cortados en trozos (congelados o frescos)
- ❖ 1/4 de piña en cubos (congelada o fresca)
- ❖ 1 taza de jugo de piña o jugo de manzana

INSTRUCCIONES

1. Mezclar todos los ingredientes hasta que quede suave. ¡Disfruta del frío!

26 BATIDO DE FRESA Y ARÁNDANOS

INGREDIENTES

- ❖ 1/2 taza de leche desnatada
- ❖ 1/2 taza de arándanos frescos o congelados
- ❖ 1 taza de fresas frescas o congeladas
- ❖ 6 onzas de yogur de vainilla descremado

INSTRUCCIONES

1. Agregue la leche, los arándanos, las fresas y el yogur a una licuadora. ¡Mezclar hasta que esté suave! Si está utilizando un nuevo producto natural, es posible que deba agregar hielo para espesar. Aprecia el frío.

27 BATIDO DE DURAZNO

INGREDIENTES

- ❖ 1 plátano mediano cortado en trozos
- ❖ 1 durazno maduro sin hueso y en rodajas
- ❖ 1 (6) oz de yogur de durazno bajo en grasa
- ❖ 1/4 taza de jugo de naranja
- ❖ 1 taza de cubitos de hielo

INSTRUCCIONES

1. Combine todos los ingredientes en una licuadora; licue de 1 a 2 minutos o hasta que quede suave y espumoso.

28 BATIDO DE SANDÍA

INGREDIENTES

- ❖ 1 1/2 tazas de sandía en cubos
- ❖ 1 taza de fresas cortadas
- ❖ 1/2 taza de leche
- ❖ 1 cucharadita de jugo de limón
- ❖ 2 sobres de endulzante SPLENDA Naturals Stevia
- ❖ 1/2 taza de hielo

INSTRUCCIONES

1. Agregue todos los ingredientes a una licuadora y mezcle hasta que se combinen. Servir frío.

29 BATIDO DE BLUEBERRY

INGREDIENTES

- ❖ 1 plátano congelado descongelado durante 10-15 minutos
- ❖ 1/2 taza de leche desnatada
- ❖ 1 taza de yogur de vainilla sin grasa
- ❖ 1 1/2 cucharadita de harina de semillas de lino
- ❖ 2/3 taza de arándanos congelados

INSTRUCCIONES

1. Corta tu plátano en trozos pequeños. Agregue plátanos, leche, yogur y una harina de linaza a una licuadora. Batir de 5 a 10 segundos hasta que quede suave. Agregue gradualmente los arándanos mientras licúa a fuego lento. Aumente la velocidad y mezcle hasta que haya alcanzado la consistencia deseada.

30 BATIDO DE AVENA Y FRESA

INGREDIENTES

- ❖ 1 taza de leche desnatada
- ❖ 1/2 taza de copos de avena
- ❖ 1 plátano partido en trozos
- ❖ 1 taza de fresas congeladas
- ❖ 1/2 cucharadita de extracto de vainilla
- ❖ 1 cucharadita de azucar blanca

INSTRUCCIONES

1. Use una licuadora para moler la avena.
2. Agregue la leche, la avena, los plátanos y las fresas; Mezclar bien.
3. Agregue vainilla y azúcar si lo desea. Mezclar hasta que esté suave.
4. Servir frío

31 BATIDO DE MELOCOTÓN Y FRAMBUESA

INGREDIENTES

- ❖ 1 taza de duraznos en rodajas
- ❖ 1/2 taza de frambuesas congeladas
- ❖ 1 taza de leche de almendras sin azúcar de vainilla o leche de su elección
- ❖ 1-2 cucharaditas de agave o miel según la dulzura de tus melocotones
- ❖ 3-4 cubitos de hielo

INSTRUCCIONES

1. Agrega duraznos y frambuesas a la licuadora.
2. Agregue leche, agave o miel y cubitos de hielo a la licuadora.
3. Mezclar hasta que esté suave. Servir inmediatamente.

32 BATIDO SALUDABLE DE INGREDIENTE SECRETO

INGREDIENTES

- ❖ 1 1/4 tazas de leche de almendras y vainilla sin azúcar (o leche de elección o kéfir)
- ❖ 1 plátano pelado (fresco o congelado)
- ❖ 1 taza de arándanos congelados
- ❖ 1/2 taza de floretes de coliflor congelados
- ❖ 1 taza de hojas de espinaca empaquetadas
- ❖ 1 cucharadita de semillas de chía
- ❖ 1 cucharadita de linaza molida
- ❖ 1 cucharada de proteína de vainilla en polvo opcional

INSTRUCCIONES

1. Coloque la leche, el plátano, los arándanos, la coliflor, la espinaca, las semillas de chía, la linaza molida y la proteína en polvo, si la usa, en una licuadora. Mezclar hasta que esté suave. Si el batido es demasiado espeso, puede agregar un poco más de leche o agua y licuar nuevamente hasta obtener la consistencia deseada. Vierta en un vaso o dos vasos y sirva inmediatamente.

33 BATIDO DE LIMA Y MORA

INGREDIENTES

- ❖ 1 taza de leche o leche de almendras
- ❖ 6 onzas de yogur de vainilla francés original Yoplait
- ❖ 1/2 cucharadita de ralladura de lima
- ❖ Jugo de una lima grande
- ❖ 1 taza de espinaca fresca
- ❖ 1 taza de moras congeladas
- ❖ 1 plátano congelado

INSTRUCCIONES

1. Agregue la leche, el yogur, la ralladura de lima, el jugo de lima, las espinacas, las moras y el plátano a la licuadora. Coloque la tapa y mezcle hasta que quede suave. Vierta en vasos y sirva inmediatamente.

2. Nota: siempre mantengo los plátanos sin pelar en el congelador para hacer batidos. Si no tiene un plátano congelado, puede usar un plátano normal y agregar algunos cubitos de hielo.

34 BATIDO DE PIÑA Y COCO

INGREDIENTES

- ❖ 2 tazas de piña fresca picada
- ❖ 1/2 taza de leche de coco
- ❖ 6 oz de yogur griego de vainilla o coco
- ❖ 2 cucharadas de coco
- ❖ 1 taza de hielo
- ❖ Coco tostado, para decorar, opcional

INSTRUCCIONES

1. Combine la piña, la leche de coco, el yogur, el coco y el hielo en una licuadora. Mezclar hasta que esté suave. Vierta el batido en dos vasos y decore con coco tostado, si lo usa. Servir inmediatamente.

35 BATIDO DE CHOCOLATE Y FRAMBUESA

INGREDIENTES

- ❖ 1 taza de leche de almendras sin azúcar de chocolate con brisa de almendras
- ❖ 1 plátano mediano congelado
- ❖ 1 taza de frambuesas congeladas
- ❖ 2 cucharadas de cacao en polvo procesado en Holanda
- ❖ Frambuesas y chispas para servir, si lo desea

INSTRUCCIONES

1. Coloque todos los ingredientes en una licuadora y mezcle hasta que quede suave. Servir inmediatamente. ¡Decore con frambuesas y chispas, si lo desea!
2. Nota: usamos leche de almendras sin azúcar con chocolate Almond Breeze, y creo que es bastante dulce. Si desea una bebida más dulce, puede usar la leche de almendras con chocolate regular Almond Breeze.

36 BATIDO DE FRAMBUESA Y COCO

INGREDIENTES

- ❖ 1 taza Almond Breeze Leche de almendras sin azúcar Leche de coco
- ❖ 1 taza de frambuesas frescas o congeladas
- ❖ 1/2 plátano mediano
- ❖ 1/2 taza de espinaca
- ❖ -2 cucharadas de coco para decorar

INSTRUCCIONES

1. Coloque la leche, las frambuesas, el plátano y las espinacas en la licuadora y mezcle hasta que quede suave. Verter en un vaso y decorar con coco. Servir inmediatamente.
2. Nota: yo uso frambuesas frescas; Me gusta echarle unos cubitos de hielo para obtener un batido más espeso / frío.

37. CUENCO LISO VERDE

INGREDIENTES

- ❖ 1/2 plátano congelado
- ❖ 1/2 taza de piña congelada
- ❖ 1 taza de col rizada
- ❖ 1/4 de aguacate
- ❖ 1/2 taza de leche de coco entera en lata
- ❖ coberturas: plátano piña, granola, semillas de chía, coco sin azúcar

INSTRUCCIONES

1. Agregue todos los ingredientes además de los ingredientes en la licuadora. Mezcle a fuego alto durante 1-2 minutos hasta que esté espeso y suave. Si no tiene una licuadora de alta potencia, es posible que tarde un poco más.
2. Vierta en un tazón grande y agregue una variedad de ingredientes. Come inmediatamente.

38.TAZÓN BATIDO DE PROTEÍNA DE MOCHA

INGREDIENTES

- ❖ 1 plátano congelado
- ❖ 1/2 taza de leche de coco enlatada y batida bien
- ❖ 1 cucharadita de café instantáneo en gránulos
- ❖ 1/2 taza de coliflor congelada
- ❖ 1/4 juego de aguacate o temperatura ambiente
- ❖ 1 cucharada de proteína de chocolate en polvo
- ❖ 2 cucharadas de cacao en polvo sin azúcar
- ❖ Coberturas opcionales: rodajas de plátano coco sin azúcar, semillas de chía, chispas de chocolate amargo, granola

INSTRUCCIONES

1. Agregue todos los ingredientes a una licuadora de alta potencia y mezcle a fuego alto durante 1-2 minutos, o hasta que la mezcla esté suave y no tenga grumos.
2. Vierta en un tazón y agregue sus ingredientes si los usa. ¡Come inmediatamente y disfruta!

39 CUENCO DE PITAYA BATIDO DE FRUTA DE DRAGON

INGREDIENTES

2 paquetes de pitaya
- ❖ 1 plátano congelado
- ❖ 1/2 taza de fresas congeladas
- ❖ 1/2 taza de leche sin lácteos Usé leche de almendras
- ❖ coberturas: plátanos, fresas, nueces, granola, semillas de chía, otras frutas y más.

INSTRUCCIONES

1. Agregue todos los ingredientes además de los ingredientes en la licuadora. Mezcle a fuego alto durante 1-2 minutos hasta que esté espeso y suave. Si no tiene una licuadora de alta potencia, es posible que tarde un poco más.
2. Vierta en tazones grandes y agregue una variedad de ingredientes. Come inmediatamente.

40.TAZÓN DE BATIDO DE COCO TROPICAL

INGREDIENTES

- ❖ 2 plátanos congelados
- ❖ 1 1/2 tazas de piña congelada
- ❖ 1 taza de mango congelado
- ❖ 1/2 taza de leche de coco batida
- ❖ 2 cucharadas de miel omitir para una opción vegana
- ❖ 1/4 de cucharadita de extracto de coco
- ❖ coberturas: granola de mango, semillas de chía, cerezas, otras frutas,

INSTRUCCIONES

1. Agregue todos los ingredientes además de los ingredientes en la licuadora. Mezcle a fuego alto durante 1-2 minutos hasta que esté espeso y suave. Si no tiene una licuadora de alta potencia, es posible que tarde un poco más.
2. Vierta en un tazón grande y agregue una variedad de ingredientes. Come inmediatamente.

41.BOWL SMOOTHIE DE BAYAS Y ALMENDRAS

INGREDIENTES

- ❖ 1 1/2 tazas de mezcla de bayas congeladas
- ❖ 3 cucharadas de mantequilla de almendras
- ❖ 1 plátano dividido por la mitad
- ❖ 1/4 taza de coco sin azúcar
- ❖ 1/3 taza de leche de vainilla y almendras
- ❖ 1/8 taza de semillas de chía opcional
- ❖ 1/8 taza de muesli opcional
- ❖ 1/8 taza de chispas de chocolate amargo opcional

INSTRUCCIONES

1. Agregue las bayas, la margarina de almendras, la mitad del plátano, las gotas de coco y la leche de almendras a la licuadora. Latido del corazón hasta que quede suave. La combinación será espesa. Vierta en un tazón enorme y cubra con cortes de otras porciones de plátano, chispas de chocolate sin brillo, muesli, coco extra y semillas de chía.
2. ¡Come de inmediato!

42 GRANOLA PALEO SIMPLE

INGREDIENTES

- ❖ ¼ taza de aceite de coco derretido
- ❖ ⅓ taza de jarabe de arce puro
- ❖ 1/3 taza de mantequilla cremosa de anacardos
- ❖ 1 cucharadita de canela
- ❖ 2 cucharaditas de extracto de vainilla
- ❖ ½ cucharadita de sal kosher
- ❖ 2 tazas de anacardos picados
- ❖ 1 taza de nueces picadas
- ❖ 2 cucharadas de semillas de chía
- ❖ 2 cucharadas de linaza
- ❖ 1 taza de hojuelas de coco sin azúcar

INSTRUCCIONES

1. Precaliente el asador a 300 grados F y coloque una rejilla en el punto focal de la estufa.
2. En un tazón grande, mezcle el aceite de coco ablandado, el jarabe de arce, la crema de anacardos, la canela, la vainilla y la sal. Agregue los anacardos, las nueces, las semillas de chía, la linaza, los chips de coco, los arándanos secos y mezcle bien para cubrir.
3. Vierta y extienda la mezcla por igual en una hoja de preparación masiva y caliente durante 45 minutos, mezclando como un reloj para abstenerse de consumir.
4. Cuando la granola esté salteada y terminada de cocinar, retírela del fuego y déjela enfriar totalmente para que esté fresca.
5. Guárdelo en un compartimento con un sello impermeable y debe conservarse hasta por 3 semanas.

43 BATIDO DE TROPICALE

INGREDIENTES

- ❖ 1 taza de agua de coco
- ❖ 1 plátano
- ❖ 1/2 taza de trozos de piña congelados
- ❖ 1/2 taza de trozos de mango congelados
- ❖ 1/2 taza de fresas congeladas
- ❖ 1 taza de hojas de col rizada
- ❖ Un puñado de hielo

INSTRUCCIONES

1. Coloque todas las fijaciones en la licuadora, con los líquidos de la base en ese punto, mezcle hasta que quede suave y con la consistencia ideal. En caso de que sea excesivamente espeso, agregue más líquido. Si es demasiado delgado, agregue un poco de hielo para espesar o más productos naturales congelados.

44 BATIDO DE FRAMBUESA, DURAZNO Y ESPINACA

INGREDIENTES

- ❖ 1 1/3 taza de leche de almendras sin azúcar
- ❖ 1/3 taza de kéfir natural o yogur griego natural
- ❖ 3 dátiles deshuesados
- ❖ 2/3 taza de frambuesas congeladas
- ❖ 3/4 taza de rodajas de durazno congeladas
- ❖ Un puñado gigante de hojas tiernas de espinaca
- ❖ COMPLEMENTOS OPCIONALES
- ❖ 1 cucharada de corazones de cáñamo
- ❖ 1 cucharadita de polen de abeja
- ❖ 1 cucharadita de maca en polvo
- ❖ 1-2 cucharadas de tu mantequilla de nueces favorita

INSTRUCCIONES

1. Coloque todos los ingredientes en la licuadora, con los líquidos en el fondo, luego mezcle hasta que quede suave y con la consistencia deseada. Si está demasiado espeso, agregue más líquido. Si es demasiado delgado, agregue un poco de hielo para espesar o más fruta congelada.

45 BATIDO DE MANTEQUILLA DE MANÍ Y PLÁTANO CON DÁTILES

INGREDIENTES

- ❖ 1 taza de leche de almendras natural sin azúcar
- ❖ 1 plátano maduro
- ❖ 4-5 dátiles sin hueso
- ❖ 1 plátano congelado
- ❖ 2 cucharadas de mantequilla de maní cremosa natural
- ❖ 1/4 - 1/2 taza de hielo
- ❖ Opcional: tu proteína en polvo favorita. Recomiendo el sabor a vainilla o chocolate, para que no afecte demasiado el sabor de este batido.

INSTRUCCIONES

1. Coloque todos los ingredientes en una licuadora eléctrica (como una Vitamix) y mezcle hasta que quede suave. Si te gusta más diluido, agrega más leche de almendras.

46.PITAYA SMOOTHIE BOWL

INGREDIENTES

- ❖ 1 taza de leche de almendras
- ❖ 1 paquete de pitaya
- ❖ 2/3 taza de fruta congelada (usé una mezcla de piña, duraznos y mangos)
- ❖ Coberturas opcionales: mantequilla de almendras, fruta fresca, copos de coco, granola

INSTRUCCIONES

1. Agregue la leche de almendras, el paquete de pitaya y la fruta congelada en una licuadora potente. Mezclar hasta que esté suave. Si le gusta su batido en el lado más espeso, agregue más fruta congelada. Si desea que su batido sea más delgado, agregue más leche / líquido de almendras.
2. Cubra con sus ingredientes favoritos.

47 TAZÓN DE BATIDO DE BAYAS MIXTAS

INGREDIENTES

- ❖ 1 taza de bebida de leche de coco, no de la lata
- ❖ 2/3 taza de bayas mixtas congeladas
- ❖ 1 plátano grande
- ❖ 2 cucharadas de mantequilla de anacardo o su mantequilla de nueces favorita
- ❖ Tus coberturas favoritas: fruta, granola, semillas de chía, etc.

INSTRUCCIONES

1. Vierta la leche de coco en el fondo de la jarra de la licuadora. Luego agregue las bayas congeladas, el plátano y la mantequilla de anacardo encima. Coloque firmemente la tapa en la olla y mezcle hasta que no queden trozos. Es posible que deba detenerse y revolverlo si está demasiado espeso.
2. Vierta el batido en un tazón y coloque los ingredientes encima.

48 BATIDO VERDE MELOCOTÓN

INGREDIENTES

- ❖ 2 tazas de bebida de leche de coco, NO la leche de coco enlatada
- ❖ 2 tazas de duraznos en rodajas congelados
- ❖ 2 plátanos poco maduros congelados, en rodajas
- ❖ 1 cucharadita de jengibre fresco rallado, opcional
- ❖ 2 tazas de hojas de espinaca sueltas

INSTRUCCIONES

1. Vierta la leche de coco en una licuadora y agregue los duraznos, el plátano, el jengibre (si lo usa) y las espinacas.
2. Mezclar hasta que esté suave.

49 BATIDO DE MONSTRUO VERDE

INGREDIENTES

- ❖ 2 tazas de fruta congelada (utilicé frutas mixtas que incluían piñas, uvas, fresas, mangos y duraznos)
- ❖ 1 plátano partido en pedazos
- ❖ 1 1/2 taza de leche de almendras
- ❖ Gran puñado de espinacas

INSTRUCCIONES

1. Eche todo en la licuadora y licue hasta obtener una consistencia suave. Si se atasca, apáguelo y use una espátula para romperlo y comenzar de nuevo.

50 BATIDO DE NARANJA ILUMINADO SIN LÁCTEOS

INGREDIENTES

- ❖ 6 cubitos de hielo Trop50 congelados (aproximadamente 3/4 taza)
- ❖ 1/2 taza de leche de coco entera
- ❖ 1/3 taza de leche de almendras y vainilla sin azúcar
- ❖ 1 naranja, pelada (sin semillas) + ralladura
- ❖ Chorrito de extracto de vainilla

INSTRUCCIONES

1. Coloque todos los ingredientes en una licuadora con alto contenido de polvo.
2. ¡Licúa y disfruta!

CONCLUSIÓN

Ya sea que esté buscando una manera de agregar algo de nutrición a su dieta diaria o que busque aprender más sobre batidos para comenzar su primera limpieza, ahora tiene algunas recetas y consejos excelentes para comenzar. Sin embargo, recuerde usar esto como una guía general. Una vez que aprenda a mezclar sabores, siéntase libre de hacer sus propias mezclas que se adapten a sus gustos y objetivos de salud.

El libro de recetas de batidos para principiantes

50 recetas de batidos

Laurencia López

Reservados todos los derechos.

Descargo de responsabilidad

La información contenida i está destinada a servir como una colección completa de estrategias sobre las que el autor de este libro electrónico ha investigado. Los resúmenes, estrategias, consejos y trucos son solo recomendaciones del autor, y la lectura de este libro electrónico no garantiza que los resultados de uno reflejen exactamente los resultados del autor. El autor del eBook ha realizado todos los esfuerzos razonables para proporcionar información actualizada y precisa a los lectores del eBook. El autor y sus asociados no serán responsables de ningún error u omisión no intencional que se pueda encontrar. El material del eBook puede incluir información de terceros. Los materiales de terceros forman parte de las opiniones expresadas por sus propietarios. Como tal, el autor del libro electrónico no asume responsabilidad alguna por el material u opiniones de terceros.

Introducción

Una receta de batido es una bebida hecha con puré de frutas y / o verduras crudas, usando una licuadora. Un batido a menudo tiene una base líquida como agua, jugo de frutas, productos lácteos, como leche, yogur, helado o requesón.

1.Batido de piña minúscula

Ingredientes

- ❖ 200 g de piña, pelada, sin corazón y cortada en trozos

- ❖ salen unas mentas

- ❖ 50g de hojas tiernas de espinaca

- ❖ 25g de avena

- ❖ 2 cucharadas de linaza

- ❖ puñado de anacardos sin sal y sin tostar

- ❖ jugo de limón fresco, al gusto

instrucción

1. Ponga todos los ingredientes en una licuadora con 200ml de agua y procese hasta que quede suave. Si está demasiado espesa, agregue más agua (hasta 400 ml) hasta obtener la mezcla adecuada.

2.Tazón de batido verde arcoíris

Ingredientes

❖ 50 g de espinacas

❖ 1 aguacate, deshuesado, pelado y cortado por la mitad

❖ 1 mango maduro, deshuesado, pelado y cortado en trozos

❖ 1 manzana, sin corazón y cortada en trozos

❖ 200ml de leche de almendras

❖ 1 fruta del dragón, pelada y cortada en trozos iguales

❖ 100 g de bayas mixtas (usamos fresas, frambuesas y arándanos)

Instrucción

1. Ponga la leche de espinacas, aguacate, mango, manzana y almendras en una licuadora y mezcle hasta que quede suave y espesa. Dividir en dos tazones y cubrir con la fruta del dragón y las bayas.

3.Tazón de batido tropical

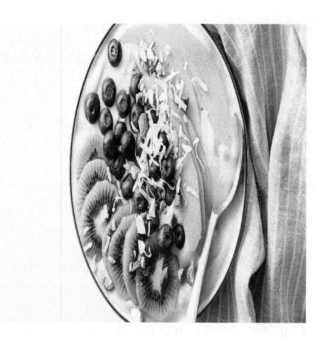

Ingredientes

- ❖ 1 mango maduro pequeño, deshuesado, pelado y cortado en trozos

- ❖ 200 g de piña, pelada, sin corazón y cortada en trozos

- ❖ 2 plátanos maduros

- ❖ 2 cucharadas de yogur de coco (no yogur con sabor a coco)

- ❖ 150 ml de leche de coco para beber

- ❖ 2 frutas de la pasión, cortadas por la mitad, sin semillas

- ❖ puñado de arándanos

- ❖ 2 cucharadas de hojuelas de coco

- ❖ unas hojas de menta

instrucciones

1. Coloque el mango, la piña, los plátanos, el yogur y la leche de coco en una licuadora y mezcle hasta que quede suave y espeso. Verter en dos cuencos y decorar con la fruta de la pasión,

los arándanos, las hojuelas de coco y las hojas de menta. Se conservará en la nevera durante 1 día. Agregue las coberturas justo antes de servir.

Tazón de batido de cúrcuma

Ingredientes

❖ 10 cm / 4 pulgadas de cúrcuma fresca o 2 cucharaditas de cúrcuma molida

❖ 3 cucharadas de yogur de leche de coco (usamos Co Yoh), o la crema desnatada de la parte superior de la leche de coco enlatada

❖ 50g de avena sin gluten

❖ 1 cucharada de mantequilla de anacardos (o un puñado de anacardos)

❖ 2 plátanos, pelados y picados

❖ $\frac{1}{2}$ cucharadita de canela molida

❖ 1 cucharada de semillas de chía o nueces picadas, para servir

instrucción

1. Pele la raíz de cúrcuma, si la usa, y ralle. Ponga todos los ingredientes en una licuadora con 600ml de agua y mezcle hasta que quede suave. Servir en un bol con semillas de chía o espolvorear algunas nueces picadas.

5. Batido cremoso de mango y coco

Ingredientes

❖ 200 ml ($\frac{1}{2}$ vaso alto) de leche de coco (usamos Kara Dairy Free)

❖ 4 cucharadas de yogur de leche de coco (usamos Coyo)

❖ 1 plátano

❖ 1 cucharada de semillas de linaza, girasol y calabaza molidas (usamos Linwood's)

❖ 120 g ($\frac{1}{4}$ bolsa) de trozos de mango congelados

❖ 1 maracuyá, para terminar (opcional)

instrucción

1. Mide todos los ingredientes o usa un vaso alto para acelerar, no tienen que ser exactos. Ponlos en una licuadora y bate hasta que estén suaves. Vierta en 1 vaso alto (tendrá suficiente para rellenar) o en dos vasos cortos. Corte la fruta de la pasión por la mitad, si la usa, y raspe las semillas encima.

6 batido de bayas

Ingredientes

- ❖ Bolsa de 450g de bayas congeladas

- ❖ 450 g de yogur de fresa sin grasa en bote

- ❖ 100 ml de leche

- ❖ 25g de avena

- ❖ 2 cucharaditas de miel (opcional)

instrucción

1. Batir las bayas, el yogur y la leche con una batidora hasta que quede suave. Revuelva con la avena, luego vierta en 4 vasos y sirva con un chorrito de miel, si lo desea.

7.Batido de mora y remolacha

Ingredientes

- ❖ 250 ml de agua de coco

- ❖ pizca de canela molida

- ❖ ¼ de cucharadita de nuez moscada molida

- ❖ 4 cm de jengibre fresco, pelado

- ❖ 1 cucharada de semillas de cáñamo sin cáscara

- ❖ 2 remolachas pequeñas cocidas, picadas

- ❖ pequeño puñado de moras

- ❖ 1 pera, picada

- ❖ pequeño puñado de col rizada

instrucción

1. Agrega el agua de coco a tu licuadora con las especias y el jengibre fresco. Agregue los ingredientes restantes y mezcle hasta que quede suave. Agregue más líquido si prefiere una consistencia más fina. Vierta en vasos y sirva.

8.Batido de refuerzo de vitaminas

Ingredientes

- ❖ 1 naranja, pelada y picada

- ❖ 1 zanahoria grande, pelada y picada

- ❖ 2 ramas de apio, picadas

- ❖ 50 g de mango, picado

- ❖ 200 ml de agua

- ❖ Método

instrucción

1. Ponga toda la naranja, la zanahoria, el apio y el mango en la licuadora, rellénelo con agua y luego bata hasta que quede suave.

9.cubos de batido de arándanos

Ingredientes

❖ moras

❖ fresas

❖ frambuesas, maracuyá

❖ mango

❖ cualquier otra fruta que te guste

instrucción

1. Haga puré de una fruta (pruebe moras, fresas, frambuesas, maracuyá y mango, en un procesador de alimentos, deje las pepitas o tamice.

2. Congele en bandejas de hielo listas para batir (3 por porción) con un plátano, 150 ml de yogur natural y leche y miel al gusto.

10 batido de melocotón y melba

Ingredientes

❖ Lata de 410g de melocotón en mitades

❖ 100 g de frambuesa congelada, más algunas para decorar

❖ 100 ml de zumo de naranja

❖ 150 ml de natillas frescas, más una cucharada para decorar

instrucción

1. Escurre y enjuaga los duraznos y colócalos en una licuadora con frambuesas. Agregue jugo de naranja y natillas frescas y mezcle.

2. Verter sobre hielo, decorar con otra cucharada de natillas y unas frambuesas. Se recomienda servir frío.

11.Batido de plátano, clementina y mango

Ingredientes

❖ unas 24 jugosas clementinas, más una extra para decoración

❖ 2 mangos pequeños, muy maduros y jugosos

❖ 2 plátanos maduros

❖ Envase de 500 g de leche entera o yogur descremado

❖ puñado de cubitos de hielo (opcional)

instrucción

1. Reduzca a la mitad la clementina y exprima el jugo; debe tener aproximadamente 600 ml / 1 pinta. (Esto se puede hacer la noche anterior). Pele los mangos, corte la fruta del hueso en el centro y luego corte la pulpa en trozos ásperos. Pelar y cortar los plátanos en rodajas.

2. Coloque el jugo de clementina, la pulpa de mango, los plátanos, el yogur y los cubitos de hielo en una licuadora y mezcle hasta que quede suave. Vierta en seis vasos y sirva. (Es posible que deba preparar esto en dos lotes,

dependiendo del tamaño de su licuadora). Si no agrega cubitos de hielo, enfríe en el refrigerador hasta que esté listo para servir.

12 batido de acaí

Ingredientes

* ❖ 100 g de pulpa de açai cruda, congelada, sin endulzar, descongelada

* ❖ 50 g de piña congelada

* ❖ 100g de fresa

* ❖ 1 plátano mediano

* ❖ 250ml de jugo de mango o naranja

* ❖ 1 cucharada de néctar de agave o miel

instrucción

1. Coloque todos los ingredientes en la licuadora o procesador de alimentos. Mezclar hasta que esté suave. Si está demasiado espeso, agregue un poco más de mango o jugo de naranja. Sirve en 2 vasos altos.

13.Batido de mango y maracuyá

Ingredientes

- ❖ 400g / 14oz de mango maduro pelado y picado

- ❖ 2 botes de 125 g de yogur de mango sin grasa

- ❖ 250ml de leche desnatada

- ❖ jugo de 1 lima

- ❖ 4 frutas de la pasión, cortadas por la mitad

instrucción

1. Batir el mango, el yogur y la leche en una licuadora hasta que quede suave. Agregue el jugo de limón y vierta en 4 vasos. Saque la pulpa de una maracuyá en cada una y revuélvalas antes de servir.

14 batido de frutas del bosque y plátano

Ingredientes

- ❖ frutas congeladas del bosque

- ❖ plátano, en rodajas

- ❖ yogur de frutas del bosque bajo en grasa

instrucción

1. Batir frutas del bosque congeladas y rodajas de plátano en un procesador de alimentos con yogur de frutas del bosque bajo en grasa.

15.Gomitas batidas con helado

Ingredientes

- ❖ 6 hojas de gelatina de hojas

- ❖ Botella de 1l de licuado de naranja, mango y maracuyá (usamos Innocent)

- ❖ Servir

- ❖ Tarrina de 500 ml de helado de vainilla de buena calidad como Green & Black's (es posible que no lo necesite todo)

instrucción

1. Ponga la gelatina de hojas en un bol y cúbrala con agua fría. Déjelo por unos minutos hasta que esté suave y suelto. Mientras tanto, calienta suavemente el batido en una cacerola sin que hierva. Quita el fuego. Saca la gelatina del agua, exprime el exceso de agua y luego agrégala al batido. Revuelva bien hasta que quede suave, luego vierta en 12 moldes, ollas o vasos, o use 24 ollas del tamaño de un vaso de chupito. Deje enfriar durante al menos 1 hora para que cuaje.

2. Para obtener mini bolas de helado perfectas, sumerja una cucharada de cucharada

medidora en una taza de agua caliente y luego sacuda el exceso. Saque el helado, sumergiendo la cuchara en el agua caliente cada vez. Sirva cada gelatina de batido cubierta con helado.

16. Batido de plátano, miel y avellanas

Ingredientes

- ❖ 1 plátano pelado y en rodajas
- ❖ 250ml de leche de soja
- ❖ 1 cucharadita de miel
- ❖ un poco de nuez moscada rallada
- ❖ 2 cucharaditas de avellanas picadas, para servir

instrucción

1. Licúa el plátano con la leche de soja, la miel y un poco de nuez moscada rallada hasta que quede suave. Vierta en dos vasos grandes y cubra con las avellanas tostadas y picadas para servir.

17 Super batido de desayuno

Ingredientes

- ❖ 100 ml de leche entera

- ❖ 2 cucharadas de yogur natural

- ❖ 1 plátano

- ❖ 150g de frutas del bosque congeladas

- ❖ 50 g de arándanos

- ❖ 1 cucharada de semillas de chía

- ❖ $\frac{1}{2}$ cucharadita de canela

- ❖ 1 cucharada de bayas de goji

- ❖ 1 cucharadita de semillas mixtas

- ❖ 1 cucharadita de miel (idealmente Manuka)

instrucción

1. Pon los ingredientes en una licuadora y bate hasta que estén suaves. ¡Vierte en un vaso y disfruta!

18.leche de almendras

ingredientes

❖ 150g de almendras enteras

instrucción

1. Coloque las almendras en un recipiente grande y cúbralas con agua, luego cubra el recipiente y déjelas en remojo durante la noche o durante al menos 4 horas.

2. Al día siguiente, escurrir y enjuagar las almendras, luego verter en una licuadora con 750 ml de agua fría. Batir hasta que quede suave. Vierta la mezcla en un colador forrado de muselina sobre una jarra y deje que gotee. Revuelve la mezcla suavemente con una cuchara para acelerar el proceso.

3. Cuando la mayor parte del líquido haya pasado a la jarra, junte los lados de la muselina y apriételos firmemente con ambas manos para extraer lo último de la leche.

19.Pastel de dulce de chocolate fácil

Ingredientes

- ❖ 150 ml de aceite de girasol, más extra para la lata

- ❖ 175 g de harina con levadura

- ❖ 2 cucharadas de cacao en polvo

- ❖ 1 cucharadita de bicarbonato de sodio

- ❖ 150 g de azúcar en polvo

- ❖ 2 cucharadas de sirope dorado

- ❖ 2 huevos grandes, ligeramente batidos

- ❖ 150ml de leche semidesnatada

Para la guinda

- ❖ 100 g de mantequilla sin sal

- ❖ 225 g de azúcar glas

- ❖ 40 g de cacao en polvo

- ❖ $2\frac{1}{2}$ cucharadas de leche (un poco más si es necesario)

instrucción

1. Caliente el horno a 180C / 160C ventilador / gas 4. Engrase y forre la base de dos latas para sándwiches de 18 cm. Tamizar la harina, el cacao en polvo y el bicarbonato de sodio en un bol. Agrega el azúcar en polvo y mezcla bien.

2. Hacer un pozo en el centro y agregar el almíbar dorado, los huevos, el aceite de girasol y la leche. Batir bien con un batidor eléctrico hasta que quede suave.

3. Vierta la mezcla en las dos latas y hornee durante 25-30 minutos hasta que suba y esté firme al tacto. Retirar del horno, dejar enfriar durante 10 minutos antes de colocar en una rejilla para enfriar.

4. Para hacer el glaseado, bata la mantequilla sin sal en un bol hasta que esté blanda. Colar y batir gradualmente el azúcar glas y el cacao en polvo, luego agregar suficiente leche para que el glaseado quede esponjoso y untable.

5. Emparede los dos pasteles junto con el glaseado de mantequilla y cubra los lados y la

parte superior del pastel con más glaseado.

20.Faux gras con tostadas y encurtidos

Ingredientes

❖ 100 g de mantequilla ablandada

❖ 300 g de hígados de pollo o pato orgánicos, recortados, limpios y secos

Servir

❖ brioche en rodajas o masa madre

❖ cornichons

❖ chatney

❖ escamas de sal marina

instrucción

1. Calentar 50g de mantequilla en una sartén hasta que chisporrotee, añadir los hígados y freír durante 4 min hasta que estén coloreadas por fuera y ligeramente rosadas en el medio. Deje enfriar, luego vierta el contenido de la sartén en un procesador de alimentos o una licuadora de batidos. Sazone generosamente con sal y agregue la mantequilla restante. Revuelva hasta que tenga un puré suave, luego raspe en un

recipiente, alise la parte superior y colóquelo en el refrigerador para enfriar durante al menos 2 horas. Se puede hacer con un día de anticipación.

2. Para servir, ponga a la plancha rebanadas de brioche o masa madre y vierta algunos cornichons y chutney en ollas pequeñas. Pon una cuchara grande en una taza de agua caliente. Como si estuviera sirviendo helado, coloque una cucharada de faux gras en cada plato, sumergiendo la cuchara en el agua después de cada cucharada. Espolvoree unas hojuelas de sal sobre cada cucharada y sirva con las tostadas, los cornichons y la salsa picante.

21 BATIDO DE ACAI DE FRESA

INGREDIENTES

- ❖ oz paquete de acai congelado

- ❖ 1 plátano

- ❖ 1 taza de fresas

- ❖ 3/4 taza de leche de almendras o de anacardos

INSTRUCCIONES

1. Agregue todos los ingredientes a una licuadora de alta potencia y mezcle hasta que quede suave.

22 BATIDO VERDE POSTERIOR AL ENTRENAMIENTO

ingredientes

- ❖ 2 tazas de agua filtrada
- ❖ 2 tazas de espinacas tiernas
- ❖ 1 plátano, en rodajas y congelado
- ❖ 1 manzana verde
- ❖ 1/4 de aguacate
- ❖ 2 cucharadas de colágeno en polvo
- ❖ 2 cucharadas de proteína en polvo
- ❖ 2 cucharadas de semillas de chía

INSTRUCCIONES

1. Coloque todos los ingredientes en una licuadora de alta potencia.

2. Licue durante 30 segundos o hasta que quede suave.

23 BATIDO DE PERSIMMON ESPECÍFICO

INGREDIENTES

- ❖ 2 caquis Fuyu maduros

- ❖ 1 plátano, congelado

- ❖ 1 taza de leche de almendras, de anacardos u otra leche de nueces

- ❖ 1/4 cucharadita de jengibre

- ❖ 1/4 cucharadita de canela

- ❖ pizca de clavo molido

INSTRUCCIONES

1. Lave los caquis y corte el tallo. Agréguelos junto con todos los demás ingredientes a una licuadora de alta potencia y mezcle durante un minuto.

2. Opcionalmente, decore el interior de un vaso con una rodaja fina de caqui.

24 BATIDO DE REMOLACHA, ZANAHORIA Y CÚRMERICA

INGREDIENTES

- ❖ 2 remolachas doradas, picadas
- ❖ 1 zanahoria grande, picada
- ❖ 1 plátano, pelado, cortado en rodajas y congelado
- ❖ 4 mandarinas peladas
- ❖ Jugo de 1 limón
- ❖ 1/4 cucharadita de cúrcuma en polvo
- ❖ 1 1/2 taza de agua fría

RECUBRIMIENTO OPCIONAL

- ❖ zanahoria rayada
- ❖ semillas de cáñamo

INSTRUCCIONES

1. Agregue todos los ingredientes en una licuadora de alta potencia y mezcle hasta que quede suave.

2. Vierta en vasos y agregue cualquier aderezo opcional.

25 BATIDO DE CHOCOLATE CON COLÁGENO

INGREDIENTES

* ❖ 2 tazas de leche de coco u otra leche

* ❖ 1 plátano congelado

* ❖ 2 cucharadas de mantequilla de almendras

* ❖ 1/4 taza de cacao en polvo crudo

* ❖ 2 cucharadas o más péptidos de colágeno de proteínas vitales

INSTRUCCIONES

1. Agregue todos los ingredientes a una licuadora de alta potencia y mezcle hasta que quede suave.

26 BATIDO DE FECHA DE COCCIÓN (VEGANO, PALEO)

INGREDIENTES

- ❖ 2/3 taza de anacardos crudos, remojados durante 2-4 horas

- ❖ 6 dátiles Medjool, sin hueso y remojados durante 10 minutos

- ❖ 1 plátano, en rodajas y congelado

- ❖ 3/4 taza de agua

- ❖ 2 tazas de hielo

- ❖ 1 cucharadita de extracto de vainilla

- ❖ 1/4 cucharadita de nuez moscada

- ❖ Pizca de canela

- ❖ Una pizca de sal marina

INSTRUCCIONES

1. Una vez que los anacardos y los dátiles se hayan remojado y escurrido, agréguelos a una licuadora de alta potencia. Agregue los ingredientes restantes y mezcle a fuego alto hasta que quede espeso y cremoso.

27 CUENCO BATIDO DE CEREZAS OSCURAS

INGREDIENTES

❖ tazas de cerezas congeladas, sin hueso

❖ 1 plátano

❖ 1/2 taza de agua de coco

RECUBRIMIENTO OPCIONAL

❖ cerezas enteras

❖ hojuelas de coco

❖ almendras laminadas

❖ semillas de cacao crudo

INSTRUCCIONES

1. Agregue las cerezas congeladas, el plátano y el agua de coco en una licuadora de alta potencia. Mezclar hasta que esté suave.

2. Vierta la mezcla de batido en un bol y agregue los ingredientes.

28.PITAYA SMOOTHIE BOWL

INGREDIENTES

* ❖ 2 paquetes Pitaya Plus
* ❖ 1 plátano
* ❖ 4 fresas
* ❖ 3/4 taza de agua de coco

ADORNOS OPCIONALES

* ❖ fresas
* ❖ fruta de kiwi
* ❖ anacardos
* ❖ Coco

INSTRUCCIONES

1. Agregue la pitaya congelada, el plátano, las fresas y el agua de coco en una licuadora de alta potencia. Licue a fuego alto durante un minuto, hasta que esté bien combinado.

2. Vierta su batido de pitaya en un tazón y agregue sus ingredientes.

29 Batido saludable de cacao, plátano y PB

Ingredientes

- ❖ 1 taza de leche

- ❖ ½ banana congelada picada, o más al gusto

- ❖ 2 cucharadas de mantequilla de maní

- ❖ 2 cucharaditas de cacao en polvo sin azúcar

- ❖ 1 cucharadita de miel

instrucción

1. Mezcle la leche, el plátano, la mantequilla de maní, el cacao en polvo y la miel en una licuadora hasta que quede suave.

30 Latte de cúrcuma

Ingredientes

❖ 1 taza de leche de almendras sin azúcar o bebida de leche de coco

❖ 1 cucharada de cúrcuma fresca rallada

❖ 2 cucharaditas de miel o jarabe de arce puro

❖ 1 cucharadita de jengibre fresco rallado

❖ Pizca de pimienta molida

❖ 1 pizca de canela molida para decorar

Instrucciones

1. Combine la leche, la cúrcuma, el jarabe de arce (o miel), el jengibre y la pimienta en una licuadora. Procese a fuego alto hasta que esté muy suave, aproximadamente 1 minuto. Vierta en una cacerola pequeña y caliente a fuego medio-alto hasta que esté humeante pero no hirviendo. Transfiera a una taza. Adorne con una pizca de canela, si lo desea.

31 Batido de frutas y yogur

Ingredientes

- ❖ 3/4 taza de yogur natural sin grasa

- ❖ 1/2 taza de jugo de fruta 100% puro

- ❖ 1 1/2 tazas (6 1/2 onzas) de frutas congeladas, como arándanos, frambuesas, piña o duraznos

Instrucciones

1. Haga puré de yogur con jugo en una licuadora hasta que quede suave. Con el motor en marcha, agregue fruta a través del orificio de la tapa y continúe haciendo puré hasta que quede suave.

32 Batido de unicornio

Ingredientes

- ❖ 1 ½ tazas de leche descremada, dividida

- ❖ 1 ½ tazas de yogur de vainilla bajo en grasa, cantidad dividida

- ❖ 3 plátanos grandes, divididos

- ❖ 1 taza de moras o arándanos congelados

- ❖ 1 taza de trozos de mango congelados

- ❖ 1 taza de frambuesas o fresas congeladas

- ❖ Carambola, kiwi, bayas mixtas y semillas de chía para decorar

instrucción

1. Combine 1/2 taza de leche y yogur, 1 plátano y moras (o arándanos) en una licuadora. Mezclar hasta que esté suave. Divida la mezcla entre 4 vasos grandes. Coloque en el congelador. Enjuaga la licuadora.

2. Combine 1/2 taza de leche y yogur, 1 plátano y trozos de mango en la licuadora. Mezclar hasta que esté suave. Dividir la mezcla sobre la capa morada de los vasos. Regrese los vasos

al congelador. Enjuaga la licuadora.

3. Combine la 1/2 taza restante de cada leche y yogur, el plátano y las frambuesas restantes (o fresas) en la licuadora. Mezclar hasta que esté suave. Dividir la mezcla sobre la capa amarilla de los vasos. Pasa una brocheta por los bordes para hacer girar las capas ligeramente.

4. Si lo desea, coloque rodajas de carambola, rodajas de kiwi y bayas en 4 brochetas de madera para adornar cada vaso. Espolvoree con semillas de chía, si lo desea.

33 Batido de proteína de chocolate y plátano

Ingredientes

❖ 1 plátano, congelado

❖ $\frac{1}{2}$ taza de lentejas rojas cocidas

❖ $\frac{1}{2}$ taza de leche descremada

❖ 2 cucharaditas de cacao en polvo sin azúcar

❖ 1 cucharadita de jarabe de arce puro

Direcciones

1. Combine el plátano, las lentejas, la leche, el cacao y el almíbar en una licuadora.

2. Haga puré hasta que quede suave.

34 Batido de desayuno de crema

Ingredientes

- ❖ 1 taza de agua de coco pura fría, sin azúcar ni sabor añadidos (ver Consejo)

- ❖ 1 taza de yogur griego de vainilla sin grasa

- ❖ 1 taza de trozos de mango fresco o congelado

- ❖ 3 cucharadas de jugo de naranja concentrado congelado

- ❖ 2 tazas de hielo

Direcciones

1. Mezcle el agua de coco, el yogur, el mango, el concentrado de jugo de naranja y el hielo en una licuadora hasta que quede suave.

35 Batido de bayas y coco

Ingredientes

- ❖ $\frac{1}{2}$ taza de lentejas rojas cocidas (ver Consejos), enfriadas

- ❖ $\frac{3}{4}$ taza de bebida de leche de coco y vainilla sin azúcar

- ❖ $\frac{1}{2}$ taza de bayas mixtas congeladas

- ❖ $\frac{1}{2}$ taza de plátano en rodajas congelado

- ❖ 1 cucharada de coco rallado sin azúcar, y más para decorar

- ❖ 1 cucharadita de miel

- ❖ 3 cubitos de hielo

Direcciones

1. Coloque las lentejas, la leche de coco, las bayas, el plátano, el coco, la miel y los cubitos de hielo en una licuadora. Licue a fuego alto hasta que esté muy suave, de 2 a 3 minutos. Adorne con más coco, si lo desea.

36 Batido de zanahoria

Ingredientes

* ❖ 1 taza de zanahorias en rodajas

* ❖ $\frac{1}{2}$ cucharadita de cáscara de naranja finamente rallada

* ❖ 1 taza de jugo de naranja

* ❖ 1 $\frac{1}{2}$ tazas de cubitos de hielo

* ❖ 3 (1 pulgada) rizos de piel de naranja

Direcciones

1. En una cacerola pequeña tapada, cocine las zanahorias en una pequeña cantidad de agua hirviendo durante unos 15 minutos o hasta que estén muy tiernas. Escurrir bien. Fresco.

2. Coloque las zanahorias escurridas en una licuadora. Agregue la cáscara de naranja finamente rallada y el jugo de naranja. Cubra y mezcle hasta que quede suave. Agrega cubitos de hielo; cubra y mezcle hasta que quede suave. Vierta en vasos. Si lo desea, decore con rizos de piel de naranja.

37 Tazón de batido de mieles

Ingredientes

- ❖ 4 tazas de mielada congelada en cubos (piezas de 1/2 pulgada)

- ❖ $\frac{1}{2}$ taza de bebida de leche de coco sin azúcar

- ❖ ⅓ taza de jugo verde, como pasto de trigo

- ❖ 1 cucharada de miel

- ❖ Pizca de sal

- ❖ Bolas de melón, bayas, nueces y / o albahaca fresca para decorar

Instrucciones

1. Combine la mielada, la leche de coco, el jugo, la miel y la sal en un procesador de alimentos o en una licuadora de alta velocidad. Alterne entre batir y batir, deteniéndose para revolver y raspar los lados según sea necesario, hasta que esté espeso y suave, de 1 a 2 minutos. Sirva el batido cubierto con más melón, bayas, nueces y / o albahaca, si lo desea.

38 Batido de mantequilla de maní y mermelada

Ingredientes

- ❖ $\frac{1}{2}$ taza de leche descremada

- ❖ ⅓ taza de yogur griego natural sin grasa

- ❖ 1 taza de espinacas tiernas

- ❖ 1 taza de rodajas de plátano congeladas (aproximadamente 1 plátano mediano)

- ❖ $\frac{1}{2}$ taza de fresas congeladas

- ❖ 1 cucharada de mantequilla de maní natural

- ❖ 1-2 cucharaditas de miel o jarabe de arce puro (opcional)

Instrucciones

1. Agregue la leche y el yogur a una licuadora, luego agregue la espinaca, el plátano, las fresas, la mantequilla de maní y el edulcorante (si lo usa); mezclar hasta que esté suave.

39 Tazón de batido de melón

Ingredientes

- ❖ 4 tazas de melón en cubos congelado (piezas de 1/2 pulgada)

- ❖ $\frac{3}{4}$ taza de jugo de zanahoria

- ❖ Pizca de sal

- ❖ Bolas de melón, bayas, nueces y / o albahaca fresca para decorar

Instrucciones

1. Combine el melón, el jugo y la sal en un procesador de alimentos o en una licuadora de alta velocidad. Alterne entre batir y batir, deteniéndose para revolver y raspar los lados según sea necesario, hasta que esté espeso y suave, de 1 a 2 minutos. Sirva el batido cubierto con más melón, bayas, nueces y / o albahaca, si lo desea.

40 Batido verde de aguacate de Jason Mraz

Ingredientes

- ❖ 1¼ tazas de leche de almendras fría sin azúcar o bebida de leche de coco

- ❖ 1 aguacate maduro

- ❖ 1 plátano maduro

- ❖ 1 manzana dulce, como Honeycrisp, en rodajas

- ❖ ½ apio tallo grande o 1 pequeño, picado

- ❖ 2 tazas de hojas de col rizada o espinacas ligeramente empaquetadas

- ❖ 1 pieza de jengibre fresco pelado de 1 pulgada

- ❖ 8 cubitos de hielo

Instrucciones

1. Mezcle la bebida láctea, el aguacate, el plátano, la manzana, el apio, la col rizada (o espinaca), el jengibre y el hielo en una licuadora hasta que quede muy suave.

41 Batido de tofu Tropic

Ingredientes

* 2 tazas de mango congelado cortado en cubitos

* 1 $\frac{1}{2}$ tazas de jugo de piña

* $\frac{3}{4}$ taza de tofu sedoso

* $\frac{1}{4}$ de taza de jugo de lima

* 1 cucharadita de ralladura de lima recién rallada

Instrucciones

1. Combine el mango, el jugo de piña, el tofu, el jugo de lima y la ralladura de lima en una licuadora; mezclar hasta que esté suave. Servir inmediatamente.

42 Buen batido de té verde

Ingredientes

- ❖ 3 tazas de uvas blancas congeladas

- ❖ 2 tazas llenas de espinacas tiernas

- ❖ 1 1/2 tazas de té verde preparado fuerte (ver Consejo), enfriado

- ❖ 1 aguacate mediano maduro

- ❖ 2 cucharaditas de miel

Instrucciones

1. Combine las uvas, las espinacas, el té verde, el aguacate y la miel en una licuadora; mezclar hasta que esté suave. Servir inmediatamente.

43 Batido de lino y naranja

Ingredientes

❖ 2 tazas de rodajas de durazno congeladas

❖ 1 taza de jugo de zanahoria

❖ 1 taza de jugo de naranja

❖ 2 cucharadas de linaza molida (ver consejo)

❖ 1 cucharada de jengibre fresco picado

Instrucciones

1. Combine los duraznos, el jugo de zanahoria, el jugo de naranja, la linaza y el jengibre en la licuadora; mezclar hasta que esté suave. Servir inmediatamente.

44 Tazón de batido de sirena

Ingredientes

❖ 2 plátanos congelados, pelados

❖ 2 kiwis pelados

❖ 1 taza de trozos de piña fresca

❖ 1 taza de leche de almendras sin azúcar

❖ 2 cucharaditas de espirulina azul en polvo

❖ $\frac{1}{2}$ taza de arándanos frescos

❖ $\frac{1}{2}$ manzana Fuji pequeña, cortada en rodajas finas y en forma de flor de 1 pulgada

Instrucciones

1. Combine plátanos, kiwis, piña, leche de almendras y espirulina en una licuadora. Mezcle a fuego alto hasta que quede suave, aproximadamente 2 minutos.

2. Divide el batido en 2 tazones. Cubra con arándanos y manzanas.

45 Tazón de batido verde de almendras y matcha

Ingredientes

- ❖ $\frac{1}{2}$ taza de plátano en rodajas congelado

- ❖ $\frac{1}{2}$ taza de duraznos en rodajas congelados

- ❖ 1 taza de espinaca fresca

- ❖ $\frac{1}{2}$ taza de leche de almendras sin azúcar

- ❖ 5 cucharadas de almendras picadas, divididas

- ❖ 1 $\frac{1}{2}$ cucharaditas de té matcha en polvo

- ❖ 1 cucharadita de sirope de arce

- ❖ $\frac{1}{2}$ kiwi maduro, cortado en cubitos

Instrucciones

1. Licúa el plátano, los duraznos, las espinacas, la leche de almendras, 3 cucharadas de almendras, el matcha y el jarabe de arce en una licuadora hasta que quede muy suave.

2. Vierta el batido en un tazón y cubra con kiwi y las 2 cucharadas restantes de almendras en rodajas.

46 Batido de unicornio

Ingredientes

* ❖ 1½ tazas de leche descremada, dividida

* ❖ 1½ tazas de yogur de vainilla bajo en grasa, cantidad dividida

* ❖ 3 plátanos grandes, divididos

* ❖ 1 taza de moras o arándanos congelados

* ❖ 1 taza de trozos de mango congelados

* ❖ 1 taza de frambuesas o fresas congeladas

* ❖ Carambola, kiwi, bayas mixtas y semillas de chía para decorar

Instrucciones

1. Combine 1/2 taza de leche y yogur, 1 plátano y moras (o arándanos) en una licuadora. Mezclar hasta que esté suave. Divida la mezcla entre 4 vasos grandes. Coloque en el congelador. Enjuaga la licuadora.

2. Combine 1/2 taza de leche y yogur, 1 plátano y trozos de mango en la licuadora. Mezclar hasta que esté suave. Dividir la mezcla sobre la capa morada de los vasos. Regrese los vasos

al congelador. Enjuaga la licuadora.

3. Combine la 1/2 taza restante de cada leche y yogur, el plátano y las frambuesas restantes (o fresas) en la licuadora. Mezclar hasta que esté suave. Dividir la mezcla sobre la capa amarilla de los vasos. Pasa una brocheta por los bordes para hacer girar las capas ligeramente.

4. Si lo desea, coloque rodajas de carambola, rodajas de kiwi y bayas en 4 brochetas de madera para adornar cada vaso. Espolvoree con semillas de chía, si lo desea.

47 Batido triple de melón

Ingredientes

- ❖ $\frac{1}{2}$ taza de sandía picada

- ❖ $\frac{1}{2}$ taza de melón maduro picado

- ❖ $\frac{1}{2}$ taza de melón dulce maduro picado

- ❖ $\frac{1}{4}$ taza de aguacate cortado en cubitos

- ❖ 6 cubitos de hielo

- ❖ Exprimido de jugo de lima

Instrucciones

1. Combine la sandía, el melón, la mielada, el aguacate, el hielo y el jugo de lima en una licuadora. Haga un puré hasta que quede suave.

48 Batido de cítricos y bayas

Ingredientes

- ❖ 1 $\frac{1}{4}$ tazas de bayas frescas

- ❖ $\frac{3}{4}$ taza de yogur natural bajo en grasa

- ❖ $\frac{1}{2}$ taza de jugo de naranja

- ❖ 2 cucharadas de leche en polvo descremada

- ❖ 1 cucharada de germen de trigo tostado

- ❖ 1 cucharada de miel

- ❖ $\frac{1}{2}$ cucharadita de extracto de vainilla

Instrucciones

1. Coloque las bayas, el yogur, el jugo de naranja, la leche en polvo, el germen de trigo, la miel y la vainilla en una licuadora y mezcle hasta que quede suave.

49 Batido de sandía y cúrcuma

Ingredientes

❖ 4 tazas de trozos de sandía, sin semillas

❖ ½ taza de agua

❖ 3 cucharadas de jugo de limón

❖ 3 cucharadas de jengibre fresco pelado, picado en trozos grandes

❖ 3 cucharadas de cúrcuma fresca, pelada y picada en trozos grandes (ver Consejo) o 1 cucharadita molida

❖ 4 cucharaditas de miel

❖ 1 cucharadita de aceite de coco extra virgen

❖ Pimienta molida

Instrucciones

1. Combine la sandía, el agua, el jugo de limón, el jengibre, la cúrcuma, la miel, el aceite y la pimienta en una licuadora. Haga puré hasta que quede suave, aproximadamente 1 minuto.

50 Batido realmente verde

Ingredientes

❖ 1 plátano maduro grande

❖ 1 taza de col rizada tierna o col rizada madura picada en trozos grandes

❖ 1 taza de leche de vainilla y almendras sin azúcar

❖ ¼ de aguacate maduro

❖ 1 cucharada de semillas de chía

❖ 2 cucharaditas de miel

❖ 1 taza de cubitos de hielo

Instrucciones

1. Combine el plátano, la col rizada, la leche de almendras, el aguacate, las semillas de chía y la miel en una licuadora. Mezcle a fuego alto hasta que esté cremoso y suave. Agregue hielo y mezcle hasta que quede suave.

Conclusión

Ya sea que esté buscando una manera de agregar algo de nutrición a su dieta diaria o que busque aprender más sobre batidos para comenzar su primera limpieza, ahora tiene algunas recetas y consejos excelentes para comenzar. Sin embargo, recuerde usar esto como una guía general. Una vez que aprenda a mezclar sabores, siéntase libre de hacer sus propias mezclas que se adapten a sus gustos y objetivos de salud.